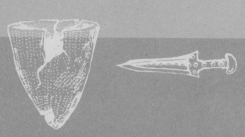

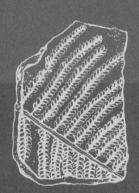

地球
ちきゅう

——その中をさぐろう——

加古里子 ぶん/え
かこさとし

福音館書店

わたしたちは
ちきゅうに　すんでいます。

ねこやなぎ　1m

たちいぬのふぐり　10cm

かめむし　1cm

こおいむし　2cm

しばいぬ

ちきゅうのうえを
とんだり　はねたり
あるいたり　はしったり
あそんだり　はたらいたりして
わたしたちは　くらしています。

つぐみ
24
cm

たこあげ

ふきのとう
5
cm

はこべ
20
cm

おおいぬのふぐり　13cm

その　ちきゅうのなかは
いったい　どんなふうになって
いるのでしょうか。

さあ、あなたと　いっしょに
ちきゅうのなかを
さぐってみましょう。

くろやまあり　10mm

15
Cm

3

ちきゅうの　いちばん　そとがわは　じめんです。

ちきゅうのなかは　じめんから　はじまります。

じめんの　したには

つちが　どっさり　かさなって　つまっています。

やまよもぎ
1.5 m

こすみれ
5 cm

つくし
10 cm

すぎな
15 cm

すみれ
10 cm

よもぎ
1 m

くさのみを
ためてあるへや

「くろながあり」のす

さなぎのいるへや

くろながあり
5 mm

あなたは　じめんに

はえている　ちいさなくさを

ひっぱって　ぬいたことが

ありますか。

ひきぬいた　くさのさきには

つちのなかに　かくれていた

ちいさなねが

ついていたことでしょう。

ひばり
16
cm

こぶし
10
m

もんきちょう 5cm

おにたびらこ
10
cm

かたばみ
10
cm

のびた「ふきのとう」

なずな
（ぺんぺんぐさ）
20
cm

たびらこ
（ほとけのざ）
20
cm

よめな
60
cm

かんとうたんぽぽ
20
cm

0

10

20

30
Cm

40

わたしたちは　じめんのうえにある

はや　はなや　くきは　よくしっています。

しかし　つちのなかにある　ねは

あまり　よくしりません。

くさや　きのねは

ちきゅうのなかに　もぐりこんでいるので

あまり　よくみることが

できないからです。

しじゅうから　15cm

さくらけむし　5cm
「もんくろしゃちほこ」の幼虫

そめいよしの
7m

まつけむし　8cm
「まつかれは」の幼虫

くまばち　3cm

れんげばたけ

なのはなばた

めじろ
12cm

あんず
5m

もも
3m

「まいまいが」の幼虫
ぶらんこけむし
6cm

いたどり
1m

つばなつみ

はなあぶ
1.5cm

せいようたんぽぽ
15cm

しろばなたんぽぽ
15cm

くさぼけ
50cm

ちがや
20cm

わたしたちが　よくしらなくても

ちきゅうのなかに　もぐっているねは

ちいさな　くさにも　おおきな　きにも

とても　たいせつなものです。

じめんのしたに　しっかりのびた

ふといねは　くきや　みきを　ささえます。

こまかく　わかれた　ちいさなねは

つちのなかから　みずや　えいようぶんを

すいあげます。

あかまつ
30m

むくどり 24cm

きじ
80cm

「まつ」の
こぶ病

うぐいす
15cm

みつばち
2cm

まんさく
4m

やまぶき
2m

くさそてつ
1m

ねざさ
1m

やまつつじ
4m

ははこぐさ
15cm

しろつめぐさ
10cm

かんさいたんぽぽ
20cm

ぜんまい

わらび
1m

50cm

0

1

せの　ひくいくさも

たかくたっている　きも

しょくぶつは　みな

こまかなねや　ながいねを

たくさん　ちきゅうのなかに

のばしているのです。

2

3
m

7

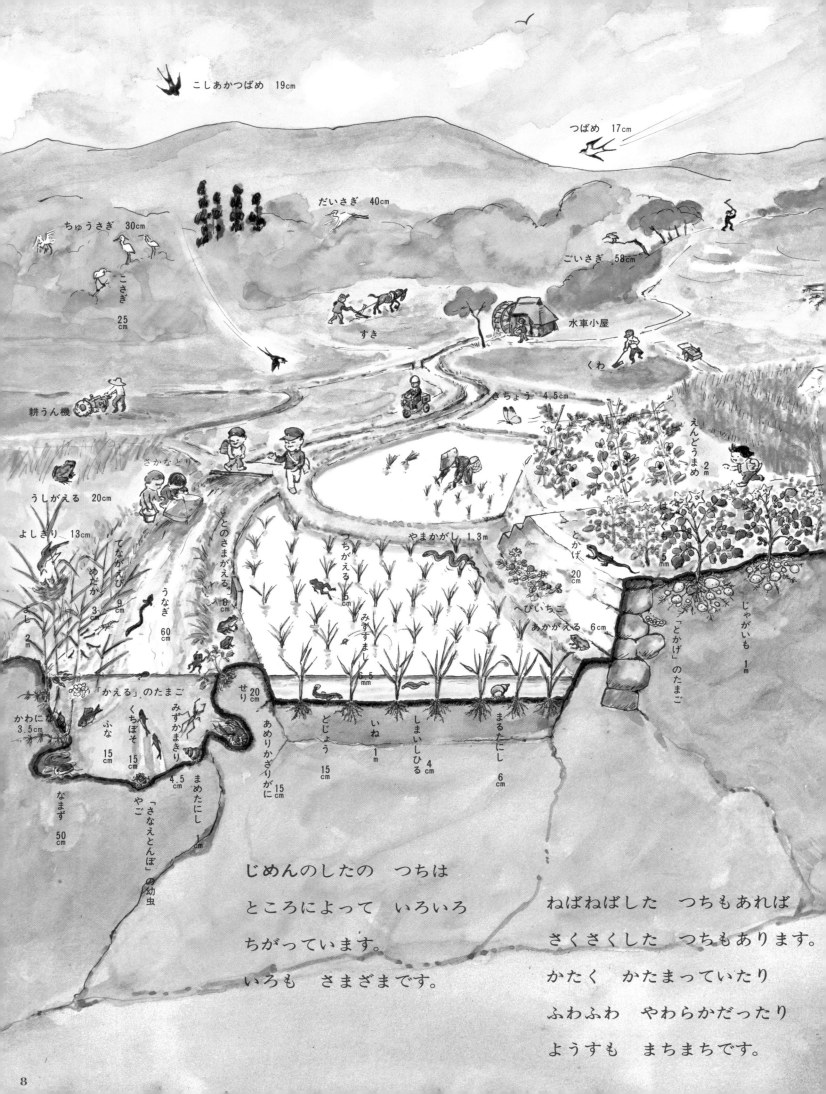

こしあかつばめ 19cm

つばめ 17cm

だいさぎ 40cm

ちゅうさぎ 30cm

こさぎ 25cm

ごいさぎ 58cm

水車小屋

すき

くわ

きちょう 4.5cm

耕うん機

えんどうまめ 2m

さかなとり

とかげ 20cm

うしがえる 20cm

やまかがし 1.3m

とかげ 5mm

よしきり 13cm

つちがえる 5cm

とのさまがえる 8cm

みずすまし 6mm

へびいちご

あかがえる 6cm

じゃがいも 1m

てながえび 9cm

めだか 3cm

うなぎ 60cm

「とかげ」のたまご

「かえる」のたまご

かわにな 3.5cm

せり 20cm

あめりかざりがに 15cm

どじょう 15cm

いね 1m

しまいしひる 4cm

まるたにし 6cm

なまず 50cm

ふな

くちぼそ 15cm

みずかまきり 15cm

まめたにし 1cm

「さなえとんぼ」の幼虫

「やご」

じめんの したの つちは
ところに よって いろいろ
ちがって います。
いろも さまざまです。

ねばねばした つちも あれば
さくさくした つちも あります。
かたく かたまって いたり
ふわふわ やわらかだったり
ようすも まちまちです。

8

おなが 37cm

きじばと 33cm

きり 10m

たねまき

かき 10m

ふじ 10m

きあしながばち 2.5cm

ねこ

「つばめ」のす

だいみょうせせり 5cm

だいみょうせせり 3.5cm

かたつむり

もうそうちく 10m

たけのこ 40cm

こじゅけい 27cm

あじさい 1.5m

井戸の手押しポンプ

しゃが 40cm

やまゆり 1m

やまいも 1m

にわとり

もんしろちょう 5cm

ゆきのした 30cm

たねまき

まいまいかぶり 5cm

おおむぎ 1m

たまご

幼虫

さなぎ

あぶらな

かぶ 1m

さなぎ

きゃべつ 1.5m

だいこん 1m

「まいまいかぶり」のさなぎ

ちきゅうのなかには
みずや えいようぶんを ちょうどよく
ふくんでいるところが あったり すこししか
みずを とおさないところが あったり
いろいろです。

しょくぶつが はえている まわりのつちを
ちょうどよい かたさに ほぐして
みずや くうきや ひりょうが
ほどよく ねに ゆくように しておくと
しょくぶつは よく そだちます。
それで さくもつを つくるとき
つちを たがやすのです。

はしぶとがらす　57cm

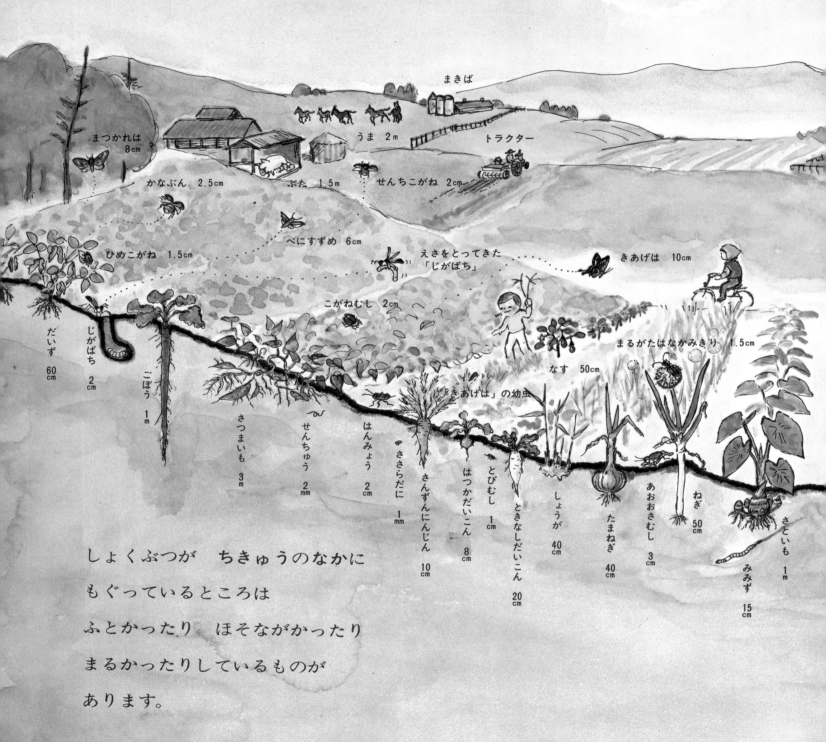

まきば

まつかれは
8cm

うま　2m

トラクター

かなぶん　2.5cm

ぶた　1.5m　せんちこがね　2cm

ひめこがね　1.5cm

べにすずめ　6cm

えさをとってきた
「じがばち」

きあげは　10cm

こがねむし　2cm

まるがたはなかみきり　1.5cm

なす　50cm

「きあげは」の幼虫

だいず
60
cm

じがばち
2
cm

ごぼう
1m

さつまいも
3m

せんちゅう
2mm

はんみょう
2cm

ささらだに
1mm

さんずんにんじん
10
cm

はつかだいこん
8
cm

とびむし
1cm

ときなしだいこん
20
cm

しょうが
40
cm

たまねぎ
40
cm

あおおさむし
3cm

ねぎ
50
cm

さといも
1m

みみず
15
cm

しょくぶつが　ちきゅうのなかに

もぐっているところは

ふとかったり　ほそながかったり

まるかったりしているものが

あります。

それは　しょくぶつが

おおきくなったり

のびてゆくための

えいようぶんを　ためておく

ところです。

こうして、しょくぶつは

じめんのしたに

だいじなものを　かくし

ちきゅうのなかに

たいせつなものを　しまってあるのです。

ちきゅうのなかを　つかっているのは
しょくぶつだけでは　ありません。
ちいさい　むしたちも　ちきゅうのなかを
うまくつかって　くらしています。
　　　そのなかには　めにみえないくらい　ちいさなものから
　　　すこしおおきい　こんちゅうや　みみずなどの
　　　たくさんの　なかままで　いろいろいます。

11

つちのなかには　あつい　ひのひかりや

つよいかぜは　はいってきません。

つめたい　あめや　ゆきの　ふるときでも

つちのなかに　すこしもぐると

ちょうどよい　あたたかさのままです。

連結した「ぎんやんま」

あおすじあげは　9cm

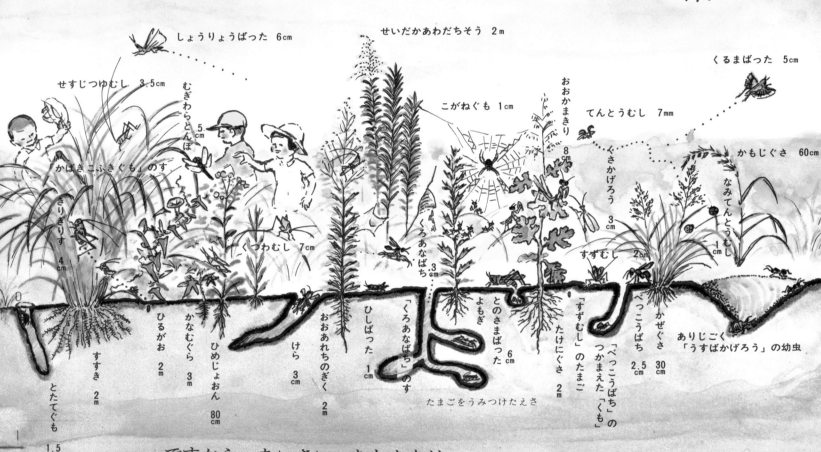

しょうりょうばった　6cm

せいだかあわだちそう　2m

くるまばった　5cm

せすじつゆむし　3.5cm

むぎわらとんぼ
5cm

こがねぐも　1cm

おおかまきり
8cm

てんとうむし　7mm

「かばきこふきぐも」のす

ぐさかげろう
3cm

かもじぐさ　60cm

きりぎりす
4cm

くつわむし　7cm

くろあなばち
3cm

すずむし　2cm

なみてんとうむし
1cm

0

とたてぐも
1.5cm

すすき
2m

ひるがお
2m

かなむぐら
3m

ひめじょおん
80cm

けら
3cm

おおあれちのぎく
2m

ひしばった
1cm

「くろあなばち」のす

とのさまばった
よもぎ

すずむし
たけにぐさ
2m

たまごをうみつけたえさ

「すずむし」のたまご

「べっこうばち」の
つかまえた「くも」

かぜぐさ
2.5cm

べっこうばち
30cm

ありじごく
「うすばかげろう」の幼虫

ですから、ちいさい　むしたちは

じめんのしたに　たまごを　うんだり

つちのなかに　もぐって　くらします。

つちのなかに　もぐっている　むしたちは

しょくぶつのねを　かじったり　しるを　すったり

まわりにいる　ちいさいえさを　たべて

おおきくなってゆきます。

3m

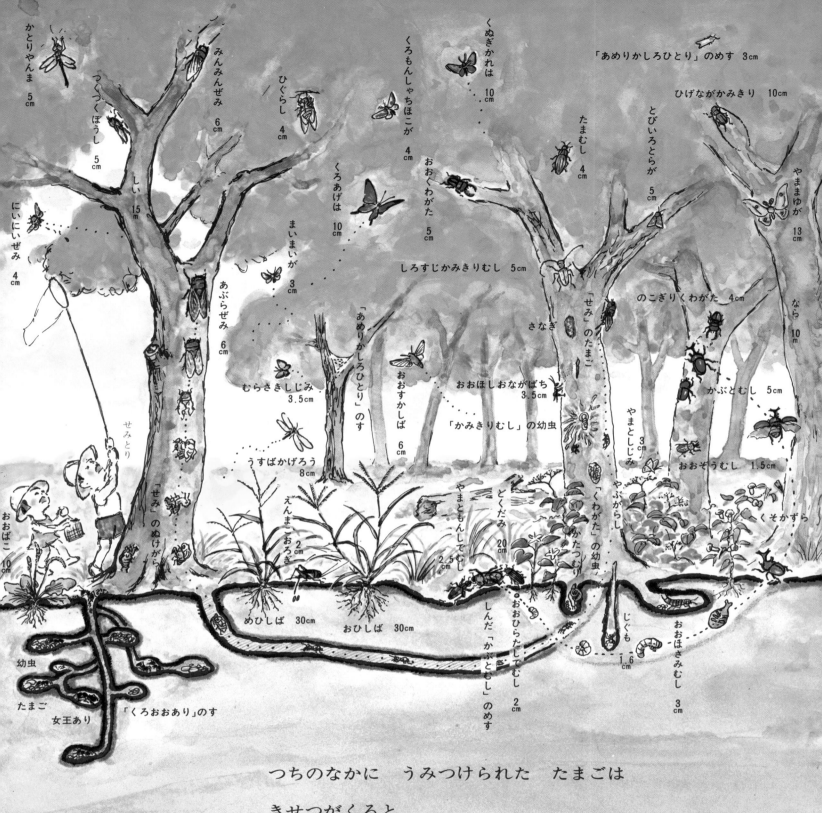

かとりやんま
5cm

みんみんぜみ
6cm

つくつくぼうし
5cm

ひぐらし
4cm

くぬぎかれは
10cm

くろもんしゃちほこが
4cm

「あめりかしろひとり」のめす 3cm

ひげながかみきり 10cm

たまむし
4cm

とびいろとらが
5cm

くろあげは
10cm

おおくわがた
5cm

にいにいぜみ
4cm

しい
15m

まいまいが
3cm

やままゆが
13cm

あぶらぜみ
6cm

しろすじかみきりむし 5cm

さなぎ

「せみ」のたまご

のこぎりくわがた 4cm

なら
10m

むらさきしじみ
3.5cm

「あめりかしろひとり」のす

おおすかしば
6cm

おおすかしば

おおほしおながばち
3.5cm

「かみきりむし」の幼虫

やまとしじみ
3cm

かぶとむし 5cm

うすばかげろう
8cm

「くわがた」の幼虫
かたつむり

やぶがらし

おおぞうむし 1.5cm

せみとり

「せみ」のぬけがら

えんまこおろぎ
2cm

やまともんしでむし
2.5cm

どくだみ
20cm

しんだ「かぶとむし」のめす

おおひらたしでむし
2cm

じぐも
1.6cm

くそかずら

おおばこ
10cm

めひしば 30cm

おひしば 30cm

おおはさみむし
3cm

幼虫

たまご

女王あり

「くろおおあり」のす

つちのなかに　うみつけられた　たまごは

きせつがくると

ようちゅうや　さなぎになって

やがて　はいだし　とびまわります。

ちきゅうのなかは

むしたちが　くらすのに　あんぜんで

とてもいごこちよい　ばしょと　なっているのです。

かけす　33cm

やまね
12cm

やどりぎ　20cm

もず　20cm

がまずみ
2m

「すずめばち」のす

ひよどり
30cm

いいぎり
10m

あけび

「くぬぎ」のみ

くぬぎ
5m

われもこう
1m

ぬるで
3m

のうさぎ
50cm

すみやき

やまどり
1.3m

まがも　60cm

くり
15m

さる　60cm

じねずみ
6cm

「くずさん」のまゆ

「いらが」のまゆ

からすうり
5m

りんどう
30cm

こなら
10m

「ねずみ」のがかし

どんぐり

ほんどいたち

「とっくりばち」のす
30cm

やまぶどう

さる

ひみずもぐら　11cm

た根

こがも　40cm

さるとりいばら　1m

ななかまど
3m

じょうびたき
15cm

はたねずみ　15cm

やまいも

かやねずみ
10cm

「かまきり」のたまご

かや
1.5m

あずまねざさ　1m

じむぐり
1m

さわがに　2.5cm

ひださんしょううお　15cm

1

2

3

4

5 m

ひめねずみ　18cm

てん　60cm

りす　25cm

きばしり 12cm

むささび 35cm

ふくろう 50cm

ほおのき 10m

きつつき 15cm

ももんが 20cm

ごじゅうから 14cm

なめこ 3cm

つたうるし

つきのわぐま　2m

つきよたけ 20

にほんじか　1.5m

しめじ 8cm

せんざんしめじ 20cm

さるのこしかけ

たまごてんぐたけ 8cm

かしわ 10m

てんぐたけ 10cm

べにてんぐたけ 15cm

みずなら 15m

きつね　1m

たまごたけ

あせたけ 7cm

いのしし　1.5m

つた

「きつね」のいたすあな

15cm

とがりねずみ 7cm

あなぐま　40cm

「くろすずめばち」のす

みやこざき 1m

たぬき　70cm

まむし　60cm

かわねずみ　16cm

ちいさい　むしたちだけでなく

もっとおおきな　いきものも

ちきゅうのなかを

うまく　つかっています。

へびや　のねずみは

じめんのしたに　トンネルを

つくって　くらします。

きつねや　あなぐまも　つちを　じょうずにほって　くらします。

いのししや　くまも　すあなを　つかって　こどもを　そだてます。

15

りす

にほんじか

やまね

おこじょ 40cm

たぬき

むささび

くま 2m

くまいざさ 2m

さむい　ふゆになると
つちを　ほった　あなのなかで
しずかにねて
はるをまつ　どうぶつが
たくさんいます。

ほらあなに　しまいこんだ
きのみや　くさのみを　たべて
あたたかい　はるになるまで
じっとまって　くらす　どうぶつもいます。

どうぶつたちは
ちきゅうのなかを
あたたかい　うちのように　つかい
だいじな　たべものを　しまっておく
そうこのように　つかっているのです。

0

10

20

30

40
m

スキー場

のうさぎ

きつね

「きつね」のあしあと

くまたか　72cm

「うさぎ」のゆきあな

「うさぎ」のよこっとびのあしあと

「うさぎ」のあしあと

のうさぎ

「くすさん」のたまご

いたち

あおおさむし

やまかがし

かたつむり

ひきがえる

13cm

かなへび

15cm

じむぐり

かやねずみ

うりはむし　8cm

あかねずみ

ひめねずみ

もぐら　10cm

20cm

しょくぶつや　むしや　どうぶつたちと　おなじように
ひとも　**ちきゅうのなかを**　うまくつかっています。

すいどうのくだや　げすいかんや　でんきのせんなどが
まるで　しょくぶつの**ね**のように
じめんのしたを　たくさん　とおっています。

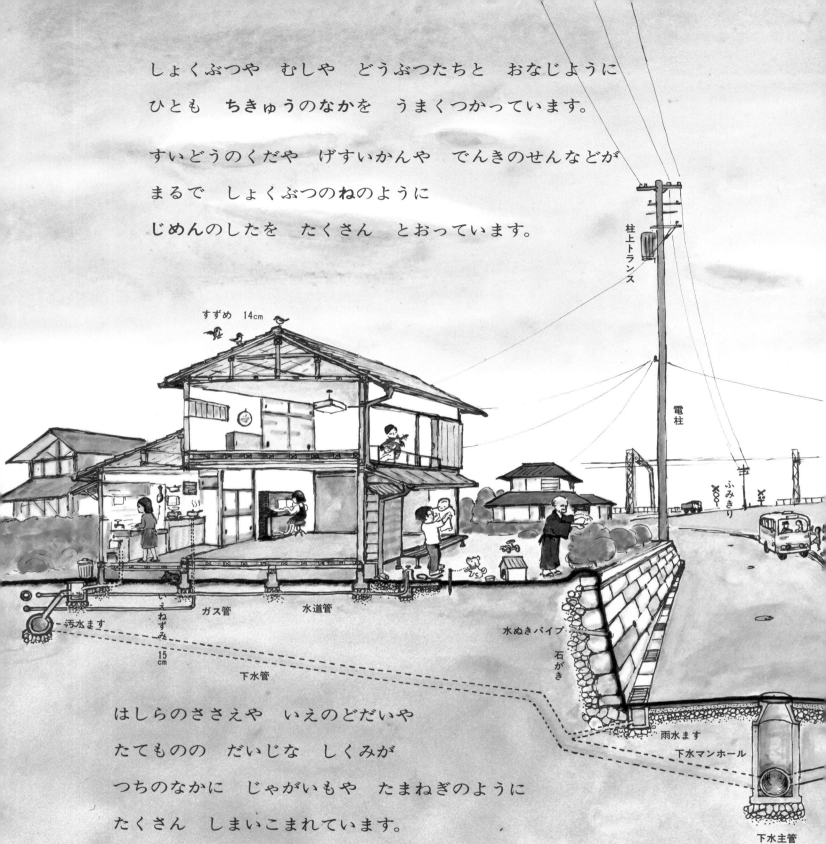

すずめ　14cm

柱上トランス

電柱

ふみきり

いえねずみ
15cm

ガス管　　水道管

汚水ます

下水管

水ぬきパイプ

石がき

雨水ます

下水マンホール

下水主管

はしらのささえや　いえのどだいや
たてものの　だいじな　しくみが
つちのなかに　じゃがいもや　たまねぎのように
たくさん　しまいこまれています。

いしがきのうらや　どうろのしたや
マンホールのなかなど
わたしたちの　みえないところで
いろいろの　くふうが
ちきゅうのなかに　しまいこまれているのです。

はと　20cm

屋上

屋上水槽

勉強部屋

せんたく場

金魚

台所

かなりや　10cm

便所

ふろ場

変電箱

消火栓

ガードレール

水道管

都市ガス管

汚水浄化槽

電気地下ケーブル

ごきぶり
3cm

げじげじ
2cm

コンクリート杭

0

1

2

3

4

5

6

7
m

じめんのしたは　ほかのひとの

じゃまになりません。

ぶつかったり　こみあうこともなくて　あんぜんです。

　それで、むしや　どうぶつと　おなじように

ひとも　トンネルをほって

じめんのしたに　みちを　とおしたりして

うまく　ちきゅうのなかを　つかっています。

ガソリンスタンド

街路燈

しろ

Silver Star Gasoline

0

ガソリンタンク

油圧器

通気孔

雨水ます

下水管

気送管

高圧電力線

電信電話線

1

2

3

4

5

排風器

地下通路

どぶねずみ　15cm

下水主管

排水ポンプ

排水溝

10
m

しかし、ちきゅうのなかは
こまったことに　くらくて　じめじめして
くうきが　わるくなりがちです。
ですから、
じめんのしたでは
ひとが
くらしやすいように
くふうをしなければ
なりません。それで——

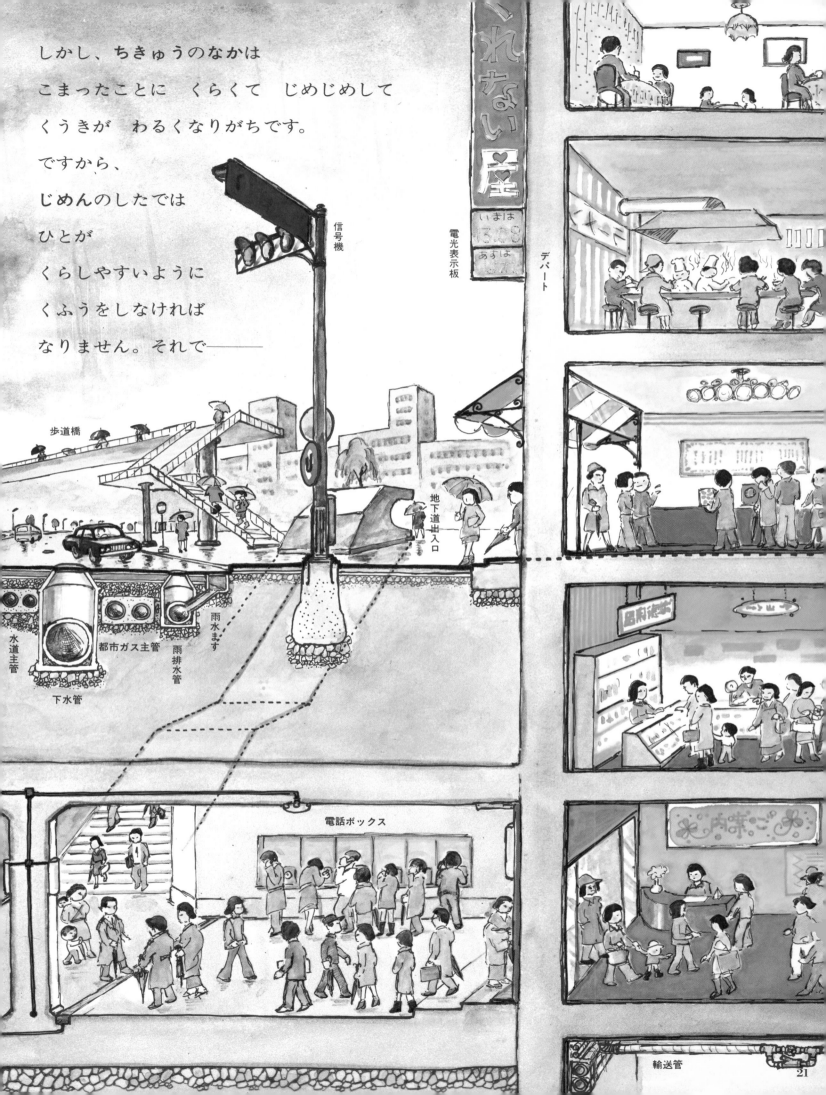

信号機

電光表示板

デパート

歩道橋

地下道出入口

水道主管

都市ガス主管

雨水ます

下水管

雨排水管

電話ボックス

輸送管

ひとびとは
くらくても　こまらぬよう　あかりをつけ
わきでる　みずを　ポンプで　くみだし
きれいな　くうきを　おくりこむそうちを
つくってきました。

それに、かたいところを
ぐんぐんほる　きかいを　かんがえたり
やわらかなところが　くずれてこない
くふうをしてきました。

垂直上昇機

エレベーター

大型ヘリコプター

通信中継機

通風孔

ホテル

モノレール

ふん水

地下通路

駐車場

機械室

ポンプ室

それで、じめんのした　なんじゅうメートルもの
ふかいところまで　ちかてつの　こうじをしたり
おおきな　たてものを　つくることが
できるように　なってきたのです。

こうして、どんな　しょくぶつや　むしや　どうぶつよりも
にんげんが　いちばん　ふかく　ひろく
さまざまに　ちきゅうのなかを
うまくつかうように　なりました。

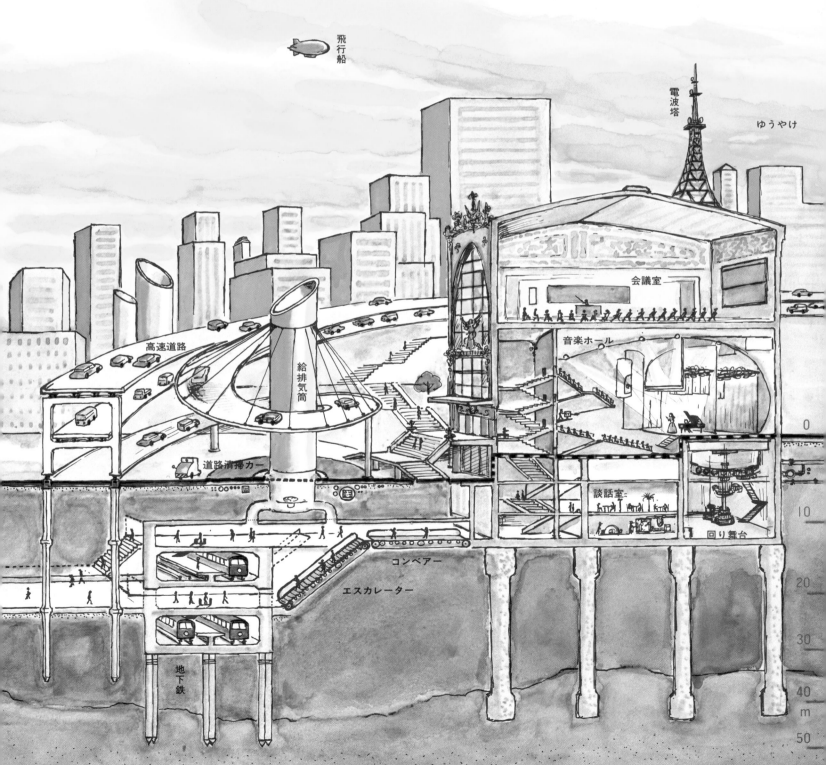

さて、
ちきゅうのなかの　ようすをみて
あなたは　きっと
みっつの　ふしぎなことに
きがついたことでしょう。

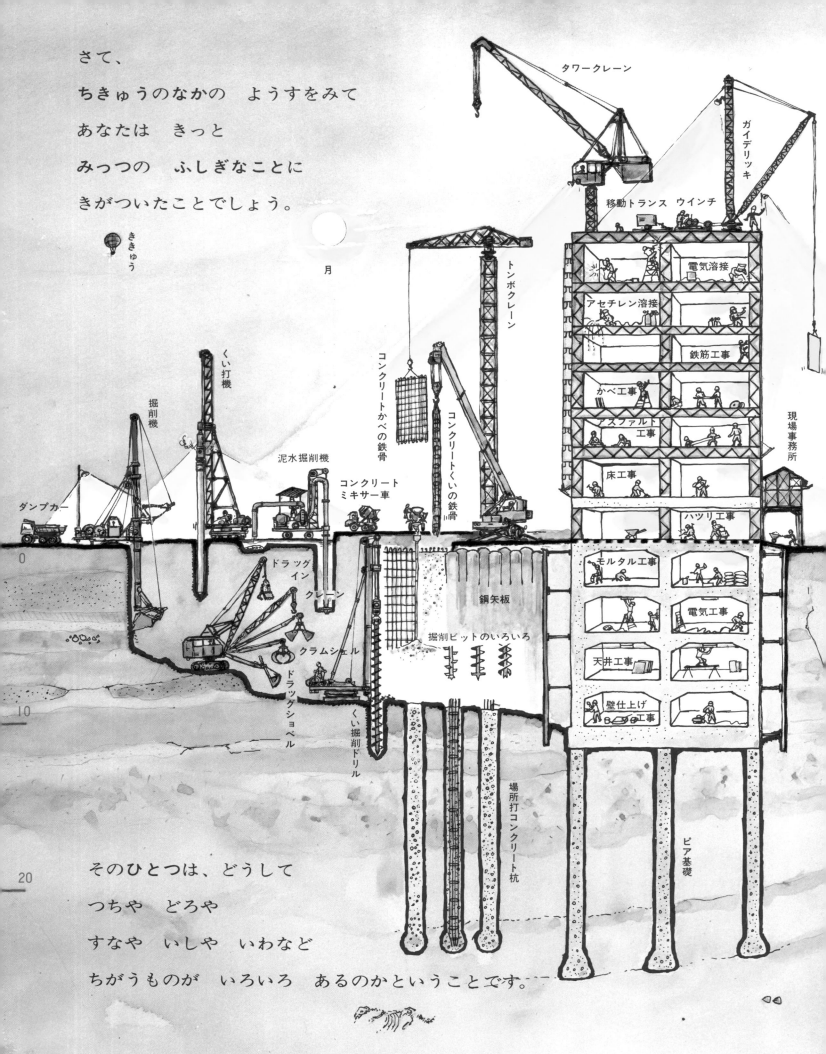

そのひとつは、どうして
つちや　どろや
すなや　いしや　いわなど
ちがうものが　いろいろ　あるのかということです。

30m

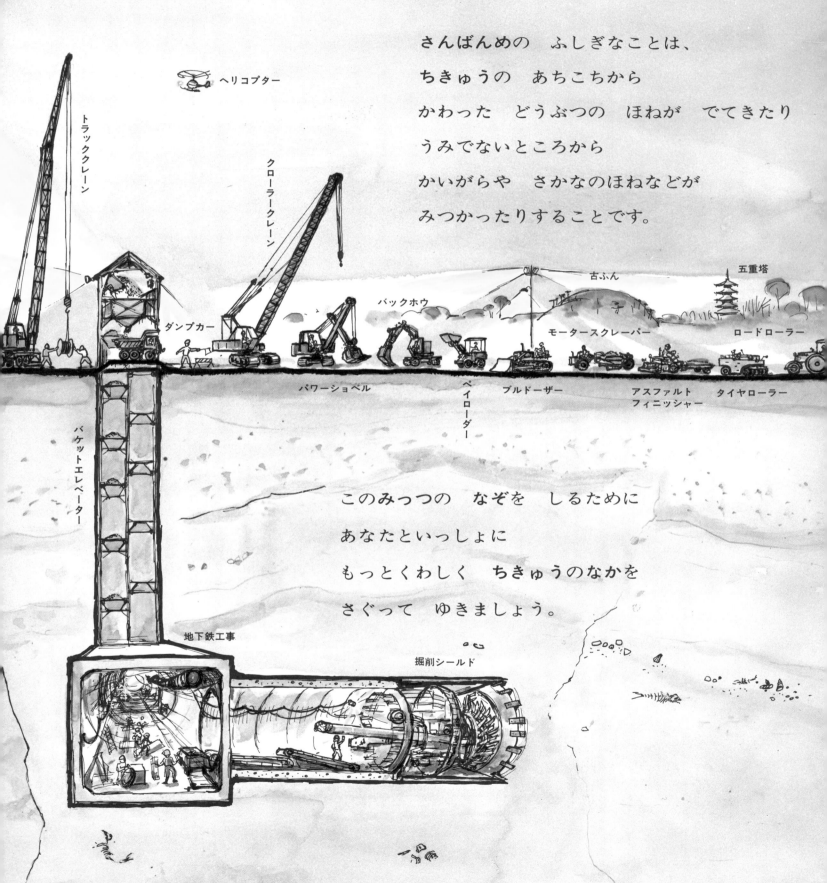

にばんめは、なぜ

じめんのしたに　だんだらの

すじのついた　いわが　あるのかと　いうことです。

ライトプレーン

ヘリコプター

さんばんめの　ふしぎなことは、

ちきゅうの　あちこちから

かわった　どうぶつの　ほねが　でてきたり

うみでないところから

かいがらや　さかなのほねなどが

みつかったりすることです。

トラッククレーン

クローラークレーン

五重塔

古ふん

ダンプカー

バックホウ

モータースクレーパー

ロードローラー

パワーショベル

ペイローダー

ブルドーザー

アスファルト
フィニッシャー

タイヤローラー

バケットエレベーター

このみっつの　なぞを　しるために

あなたといっしょに

もっとくわしく　ちきゅうのなかを

さぐって　ゆきましょう。

地下鉄工事

掘削シールド

ちきゅうの　いちばん　たかいところは
やまのうえです。
その　けわしいやまの　いただきにも
つめたいきりや　くもが　たちこめ
ゆきや　あめが　ふりそそぎます。

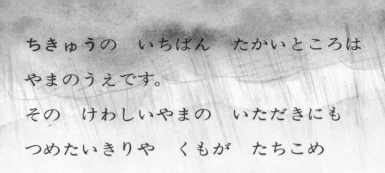
ずみ
かげろう 1.6cm

その　こおりや　ゆきが
たくさんあつまって
おもくなると　ずりおち、
まわりのいわを
わったり　けずりとって
すべります。

あめが
いきおいよく　ながれると
おおきな　いしは　ころがり
ぶつかりあって
おちてゆきます。

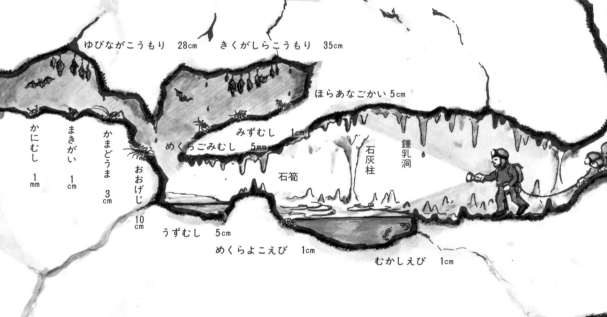

カルスト地形

0

2

ゆびながこうもり　28cm　きくがしらこうもり　35cm

4

ほらあなごかい　5cm

みずむし　1cm

かにむし　1mm
まきがい　1cm
かまどうま　3cm
めくらごみむし　5mm
おおげじ　10cm

鍾乳洞
石灰柱
石筍

10

うずむし　5cm
めくらよこえび　1cm
むかしえび　1cm

20

こうして　ながいあいだに
はじめ　おおきかった　いわや　いしも
すこしずつ　ちいさくなって
すなや　こいしや　じゃりとなってゆきます。

おおさんしょううお　1m
やまめ　40cm
わきみず

30m